# Bienvenue
## dans le monde des

Téa Sisters

ALBIN MICHEL JEUNESSE

Salut, c'est Téa, la sœur de Geronimo Stilton! Je suis envoyée spéciale de «l'Écho du rongeur», le journal le plus célèbre de l'île des Souris. J'adore les voyages et j'aime rencontrer des gens du monde entier, comme les Téa Sisters. Ce sont cinq amies vraiment épatantes. Je vous les présente !

**Colette** a une vraie passion pour le rose et c'est la fille la plus *fashion* du groupe. Toujours occupée à soigner son look, elle est sans cesse en retard !

**Violet** aime étudier et découvrir sans cesse de nouvelles choses. Elle aime la musique classique et rêve de devenir une grande violoniste !

**Paméla** mangerait sa pizza adorée même au petit déjeuner. C'est une mécanicienne accomplie. Donnez-lui un tournevis et elle vous réparera n'importe quel moteur !

**PAULINA** est un peu timide et brouillonne, mais aussi très altruiste. Comme elle aime voyager, elle connaît des gens de tous les pays.

**Nicky** est passionnée d'écologie et de nature. Elle vient d'Australie et aime la vie au grand air. Elle ne tient pas en place !

*Texte de* Téa Stilton.
*Basé sur une idée originale d'*Elisabetta Dami.
*Coordination des textes d'*Alessandra Berello *(Atlantyca S.p.A.)*.
*Sujet et supervision des textes de* Carolina Capria *et* Mariella Martucci.
*Coordination éditoriale de* Patrizia Puricelli.
*Édition de* Daniela Finistauri.
*Coordination artistique de* Flavio Ferron.
*Assistance artistique de* Tommaso Valsecchi.
*Couverture de* Giuseppe Facciotto.
*Illustrations intérieures de* Chiara Balleello *(dessins) et* Francesco Castelli *(couleurs)*.
*Graphisme de* Yuko Egusa.
*Cartes :* Archives Piemme.
*Traduction de* Béatrice Didiot.

## www.geronimostilton.com

Pour l'édition originale :
© 2011, Edizioni Piemme S.p.A. – Corso Como, 15 – 20154 Milan, Italie
sous le titre *Il club delle poetesse*
International rights © Atlantyca S.p.A. – Via Leopardi, 8 – 20123 Milan, Italie
www.atlantyca.com – contact : foreignrights@atlantyca.it
Pour l'édition française :
© 2013, Albin Michel Jeunesse – 22, rue Huyghens, 75014 Paris
www.albin-michel.fr
Loi 49-956 du 16 juillet 1949 sur les publications destinées à la jeunesse
Dépôt légal : second semestre 2013
Numéro d'édition : 20778
Isbn-13 : 978 2 226 24946 3
Imprimé en France par Pollina S.A. en août 2013 - L65088

# LE CONCOURS
# DE POÉSIE

ALBIN MICHEL JEUNESSE

# DEVINETTE EN VERS !

Violet commençait à penser qu'il était arrivé quelque chose à l'horloge et au réveil de sa chambre. Tandis qu'elle se reposait pour récupérer d'une mauvaise **grippe**, le temps lui semblait s'écouler *lentement*, très *lentement*, démesurément *lentement* ! Emmitouflée dans sa chaude robe de chambre MOLLETONNÉE, la jeune fille lança un regard à la citrouille d'où pointait le nez de Frilly, son inséparable ami grillon, et soupira, découragée :
– Oh la la, Frilly ! Quelle barbe !

Violet n'avait plus de FIÈVRE, mais ses amies avaient été catégoriques : il lui fallait au moins encore un jour de convalescence avant de replonger dans le tourbillon de leçons et d'ACTIVITÉS prodiguées par le collège de Raxford !

Ainsi, entre deux éternuements, la jeune fille tenta de s'inventer des remèdes contre l'**en- nui**. Tout d'abord, elle rangea dans l'ordre alphabétique ses CD de musique classique, notant que sa COLLECTION ne comptait aucun compositeur dont le nom commence par F.

Puis, elle entreprit de feuilleter pour la énième fois les MAGAZINES que lui avait apportés Colette, mais trouva bien plus drôle d'ajouter une touche **personnelle** à leurs couvertures.

Et alors même qu'elle finissait de transformer un mannequin en **clown**, résonnèrent trois petits coups :

**TOC! TOC! TOC!**

– Enfin, vous revoilà ! s'exclama-t-elle en voyant Colette, Nicky, Paméla et Paulina apparaître dans l'encadrement de la porte. Je n'en pouvais plus d'**ATTENDRE** ! Alors ? Comment s'est passé le premier cours de *littérature* ? De quoi nous parlera le professeur Ratcliff, cette année ?

– Hé ! Une question à la fois, sœurette ! la taquina Paméla.

– Tu as raison, mais je suis si **CURIEUSE** de savoir ce que nous étudierons ! répondit Violet en souriant.

Ses amies échangèrent un regard **ENTENDU**.
Puis Paulina s'éclaircit la voix et se lança :
– Eh bien, connaissant ton impatience…
– … dès la fin de la leçon du professeur Ratcliff,
nous nous sommes *PRÉCIPITÉES* ici… conti-
nua Nicky.

– Pour tout te raconter… poursuivit Paulina avec un air MALICIEUX.

– … Il s'agit de quelque chose que tout le monde connaît… précisa Nicky.

– Ce peut être un sonnet… suggéra Paméla.

– … ou encore une ode ou une *élégie*… compléta Colette.

– J'y suis ! l'interrompit Violet, qui avait enfin compris. Le cours portera sur… la poésie !

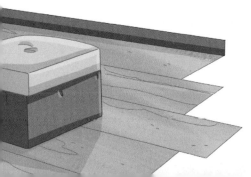

# LA FIÈVRE DE LA POÉSIE

Une semaine après l'annonce du nouveau cours du professeur Ratcliff, les étudiants déclarèrent tous les symptômes d'un mal INCONNU. Ils n'étaient pas victimes de la grippe de Violet, mais d'une épidémie inédite : **LA FIÈVRE DE LA POÉSIE!**
Leur intérêt pour cette matière n'avait pas échappé à leur enseignante, mais ce n'était que ce matin-là qu'elle mesura combien l'**AMOUR** de la poésie faisait désormais partie de leur vie. De fait, dès qu'elle mit le pied dans le réfectoire, elle fut invitée à arbitrer une discussion très animée…
– Madame, nous aurions besoin de votre avis, l'interpella Pam.

Margot Ratcliff fut ainsi conduite à une table qu'occupaient des étudiants engagés dans une authentique controverse.

– Voyez-vous, nous n'arrivons pas à élucider une question… expliqua Paulina.

– En fait, c'est vous, les FILLES, qui n'y arrivez pas ! lâcha Ron. Nous, les GARÇONS, sommes déjà fixés : les vers composés par les poètes sont bien *meilleurs* que ceux des poétesses !

PUISQUE JE TE LE DIS !

PAS D'ACCORD !

– Ah oui ? C'est donc ça le sujet : les POÈTES contre les *poétesses* ! commenta l'enseignante, amusée.

Tanja était la plus passionnée de tous.

– Comment un quelconque poète pourrait-il rivaliser avec la sensibilité d'EMILY DICKINSON ?

En entendant prononcer le nom de l'auteure qu'elle **AIMAIT** le plus, Colette ne put s'empêcher de citer ses vers préférés :

*– Si je puis empêcher un cœur de se briser
Je n'aurai pas vécu en vain.*

– Mais la poésie n'est pas faite que de sensibilité ! s'exclama Vik. Elle est aussi force et énergie ! Prenez l'exemple de Walt Whitman !

– Très juste ! déclara Craig, qui, une fois monté sur une chaise, déclama :

LE BATEAU A FRANCHI TOUS LES ÉCUEILS,
LE PRIX QUE NOUS POURSUIVIONS EST GAGNÉ !

Cette citation déchaîna l'enthousiasme des garçons, qui **APPLAUDIRENT** leur ami !

... EST GAGNÉ !

– Pfff… soupira Vanilla. Que veulent dire ces vers bizarres ? Moi, ils ne réussissent qu'à m'ENNUYER !

Madame Ratcliff se chargea de ramener le calme en émettant une petite toux.

– Je me réjouis de constater que la poésie vous *inspire* d'aussi intéressants débats ! déclara-t-elle avec un sourire. Mais en l'étudiant vous apprendrez que ce qui compte ce n'est pas de savoir qui a COMPOSÉ un poème, mais que celui-ci vous touche au plus profond de l'ÂME. Maintenant, excusez-moi, mon thé refroidit.

Alors que le professeur s'éloignait d'un pas léger, Tanja prit à part ses amies et leur murmura d'un air MYSTÉRIEUX :

– Les filles, j'ai une idée à vous soumettre : rendez-vous dans le JARDIN à la fin des cours !

**EMILY DICKINSON**
(1830 - 1886)

Née aux États-Unis, elle est considérée comme l'une des meilleures poétesses. Ses vers sur l'amour sont particulièrement célèbres.

**WALT WHITMAN**
(1819 - 1892)

C'est un illustre poète et prosateur des États-Unis. Son recueil de vers le plus connu s'intitule *Feuilles d'herbe*.

# UN CLUB TRÈS... POÉTIQUE!

– Où a-t-elle bien pu passer ? soupira Paméla.
Tanja avait donné RENDEZ-VOUS à ses
amies, mais elle-même n'avait pas encore pointé
le nez.
– Si elle n'est pas là dans cinq minutes, moi,
je m'en vais ! bougonna **impatiemment**
Vanilla. J'ai mieux à faire que de rester ici à
l'attendre...
– **La voilà !!!** claironna Elly en apercevant sa
camarade.
**ENCOMBRÉE** d'une grosse sacoche à bandou-
lière, Tanja accourait vers elles.
– Désolée pour le retard ! parvint-elle tout juste
à dire en reprenant son SOUFFLE. J'ai fait un

saut au *Zanzibazar*, le magasin du port, pour acheter ça !

La jeune fille sortit de sa besace des CAHIERS de toutes les couleurs, qu'elle distribua à ses amies.

– Merci, ils sont très JOLIS... mais à quoi vont-ils nous servir ? demanda Paulina, perplexe.

Tanja afficha un sourire radieux.

– À y noter ou plutôt à y COMPOSER nos vers !

– Mais nous n'avons jamais écrit de poèmes ! objecta Violet.

– Pas encore ! Mais autant s'y mettre immédiatement, car la première séance du Club des poétesses se tiendra dès ce soir ! annonça Tanja.

– De quoi parles-tu, sœurette ?! s'étonna Pam.

– De mon projet : un club consacré à la poésie ! Nous nous réunirons dans le local du Club des Lézards noirs, où chacune de nous lira ses œuvres ! expliqua FIÈREMENT l'étudiante.

– Quelle magnifique idée ! commenta Paulina en battant des mains.

– Pour embellir la salle, nous pourrions apporter de gros COUSSINS colorés sur lesquels nous asseoir… proposa Elly.

– Oui, d'ailleurs, nous aussi, nous devrions nous parer d'une touche... de POÉSIE ! observa Colette. Pour commencer, chacune pourrait se trouver un nom de plume qui reflète sa personnalité ! Moi, je pourrais être *Lady Colette* !

> **Organisation du Club des poétesses :**
> ✴ embellir la salle avec de gros coussins colorés et des bougies
> ✴ se choisir des noms de plume
> ✴ porter des accessoires à thème

– Formidable ! commenta Nicky. Et pendant nos séances, pourquoi ne pas arborer un accessoire poétique de son choix rappelant ce qui, chacune, nous inspire le plus !

– Oui, c'est une idée FANTASOURISTIQUE ! s'exclama Pam.

– C'est ça ! Fantasouristique... pour vous, peut-être ! railla Vanilla. Pour ma part, j'appartiens déjà à des clubs très fermés comme

**DE BONNE FAMILLE ET DE BON GOÛT**. Et rien que l'idée d'écouter vos poèmes me donne envie de BÂIL-LER !

Sur ces mots, Vanilla laissa tomber son cahier et s'éloigna, aussitôt imitée par les Vanilla Girls.

– Sûr que s'il existait un club des filles les plus

PFFF !

PRÉTENTIEUSES du monde, Vanilla en serait la présidente ! lâcha Pam.

Les filles fixèrent un instant leur amie, puis éclatèrent de RIRE : quoi qu'elle fasse, Vanilla ne réussirait pas à gâcher leur enthousiasme !

# LES SECRETS DES POÉTESSES

Les filles du Club des poétesses avaient eu un après-midi très chargé. Elles avaient commencé par DÉCORER leur local, puis s'étaient ruées dans leur chambre pour COMPOSER leurs premiers vers ! Ensuite, chacune avait choisi un accessoire emblématique de son inspiration et s'en était parée. Enfin, quand l'heure de leur séance était arrivée, toutes s'étaient glissées hors du dortoir en direction du **Club des Lézards noirs**, où se réunissaient généralement les étudiantes du collège.

– Nous avons fait un excellent travail ! se réjouit Tanja en **REGARDANT** tout autour d'elle.

Ses amies ne purent que lui donner raison :

jamais cette salle n'avait baigné dans une atmosphère aussi envoûtante !

– Alors, on s'y met ? demanda Pam, impatiente.

– Ah non ! riposta Colette. Avant cela, j'aimerais connaître vos noms de plume ! Ou mieux encore, je propose que chacune se présente !

– Très juste ! s'exclama Paulina. Je me lance : comme mes poèmes seront des chansonnettes pour les enfants, je me nommerai « Tine », d'après le mot que ma petite sœur prononçait quand elle était petite pour me demander d'inventer des comptines !

Nicky, elle, avait opté pour « River ».

– En anglais, cela veut dire FLEUVE, or mes textes parleront de la nature !

Quant à Violet, elle avait décidé de se faire appeler « SolLaSi ».

– Parce que, chaque fois que je lis de la poésie, je me laisse emporter par l'harmonie des mots

# Club des poétesses

## Lady Colette
Symbole : un cœur...
Idéal pour composer
des poèmes romantiques !

## Tine
Symbole : un ruban
aux couleurs gaies...
comme une comptine !

## River
Symbole : le badge des souris
bleues... car la nature
est poésie !

## Datcha
Symbole : une poupée russe...
car la création se nourrit
de souvenirs !

## Étoile de mer
Symbole : un bracelet
de coquillages... tant la mer
inspire les poètes !

## SolLaSi
Symbole : une clef de sol...
puisque la musique est aussi
dans les mots !

## 201
Symbole : une casquette...
car tout poète-rappeur qui
se respecte en porte une !

et j'imagine la *musique* qui pourrait les accompagner.

Elly serait «Étoile de mer», car c'est la contemplation des **flots** qui lui donnait envie d'écrire. Le nom de plume de Tanja serait «Datcha», qui en russe signifie MAISON, car son inspiration lui venait des souvenirs de son enfance en Russie.

Enfin, Pam annonça :

MOI, C'EST 201!

– Moi, je m'appellerai « 201 », comme l'indicatif téléphonique de New York, la patrie du rap ! En effet, mes compositions seront rigoureusement slamées !

– Maintenant que nous avons toutes un pseudonyme, moi, Datcha, déclare, en notre nom à toutes, ouverte la première séance du Club des poétesses !

Alors même que la première d'entre elles s'installait sur le « Trône de la poésie » pour lire ce qu'elle avait écrit, quelques salles plus loin, au Club des Lézards verts, Vik révélait à ses camarades les SOUPÇONS qu'il nourrissait :

– Les filles nous cachent quelque chose !

– Tu as raison ! observa Shen. Tu as remarqué comment elles CHUCHOTAIENT entre elles au dîner ?

– Oui et chaque fois que quelqu'un s'approchait, elles s'ARRÊTAIENT net ! renchérit Craig en posant le dictionnaire qu'il soulevait comme un haltère pour développer ses biceps.

HOP, HOP !

– Et à la fin, elles ont FILÉ sans saluer personne ! ajouta Vik.

– C'est vrai ! Mais moi je sais où elles sont !
s'exclama Ron. J'ai entendu Violet et Tanja se
donner rendez-vous au Club des Lézards noirs !
Les garçons échangèrent des regards **complices** : pas de temps à perdre, ils devaient
s'empresser de *découvrir* ce qui se tramait !

ALLONS VOIR !

D'ACCORD !

# UNE RÉUNION TRÈS SUIVIE !

*– C'est la comptine de l'amitié,*
*qui de la vie est un bienfait.*
*Chaque jour est une aventure*
*car ensemble on se rassure !*

Dès que Paulina eut fini de lire son texte, Colette s'empressa d'applaudir.

**– BRAVO !**

La première réunion de lecture de poèmes était passée à la vitesse de l'**éclair**.

Tanja-Datcha avait ouvert la séance en déclamant des vers qui évoquaient une course en **TRAÎNEAU**. Puis cela avait été au tour de Lady Colette, qui avait murmuré un poème intitulé

«L'amour au premier regard», dédié à... un **SAC** à main !

Pam-201, elle, avait slamé une ode à la PIZZA au gorgonzola, faisant saliver toute l'assemblée !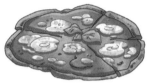

Puis, après une petite collation, Elly-Étoile de mer et Nicky-River avaient dévoilé leurs compositions, consacrées respectivement aux mystères des **abysses** et au chant du vent dans les arbres.

Enfin, Paulina-Tine elle-même était passée et s'apprêtait à céder la place à Violet-SolLaSi.

– Violet, tu es prête ? C'est à toi ! s'exclama-t-elle.

– C'est que... à vrai dire... je n'ai encore RIEN écrit... bredouilla son amie. Je n'ai pas trouvé l'inspiration...

En réalité, la seule chose qui la bloquait était sa grande **TIMIDITÉ** !

– Allez, sœurette ! Ça ne fait rien ! la rassura Paméla. Tu te rattraperas la proch…

TUMPF !

Un bruit sourd venant du couloir empêcha Pam de finir sa phrase. Les filles coururent ouvrir la porte et…

SURPRISE !

Sur le seuil se tenaient Ron, Craig, Vik et Shen !

– Qu'est-ce que vous faites là ? s'étonna Tanja.

– Nous admirions ce TABLEAU ! improvisa Vik. Nous avons une passion pour… euh… les natures mortes ! Pas vrai, les gars ?

Violet se pencha hors de la chambre et observa :

– Les natures mortes ? Mais il s'agit d'une peinture abstraite !

Après un moment de silence embarrassé, tous éclatèrent de RIRE.

– Excusez-nous de vous avoir espionnées ! avoua Craig. Notre curiosité était vraiment trop forte… Enfin, vous avez eu une idée GÉNIALE !

– Absolument ! Et il me semble que, dès demain, il y aura aussi un CLUB DES POÈTES ! conclut Vik.

# EN CHANTIER !

Dans les jours qui suivirent, le collège ne parla plus que de la naissance des deux **CLUBS** de poésie. Tandis que madame Ratcliff se montrait très FIÈRE de ses étudiants, d'autres se sentaient dévorées de jalousie…

– Vous avez vu comme la prof était contente quand les Téa Sisters lui ont parlé des clubs ? frémit Vanilla, FURIEUSE de voir ses rivales obtenir l'approbation générale.

– C'est vrai, mais Tanja nous avait proposé de participer à son projet… lui rappela Zoé.

– Tsss ! Ces **FRIMEUSES** ne m'intéressent pas ! glapit Vanilla.

QUELLES FRIMEUSES !

– Moi non
plus… dit Alicia.
Pourtant j'**AIME** la
façon dont elles ont embelli le
Club des Lézards noirs. Je n'imaginerais
pas plus *beau* local pour un cercle de poésie !
Les mots de la jeune fille firent germer une **idée**
dans l'esprit de Vanilla.

– Très juste, Alicia, très juste !
Et sans donner d'explication, elle partit s'isoler
dans sa chambre.

Puis, elle sélectionna l'entrée  **Maman portable** dans la liste des contacts de son téléphone et appuya sur «appel».

– Allô, ma petite maman ? As-tu gardé le numéro de ton célèbre DÉCORATEUR d'intérieur ?

Le plan de Vanilla était simple : si elle ne pouvait **empêcher** les Téa Sisters et leurs amies de jouer les poétesses, elle pouvait au moins les priver de leur salle. Ainsi demanda-t-elle à sa mère de financer une RÉNOVATION du local du Club des Lézards noirs afin de le leur rendre inutilisable. Début des travaux : *IMMÉDIA-TEMENT !*

Le lendemain matin, les Téa Sisters, qui ne savaient rien des intentions de Vanilla, remarquèrent des **va-et-vient** inhabituels

dans les couloirs. Remontant une file de pots de peinture, de pinceaux et de rouleaux de moquette, elles parvinrent à l'entrée du club.

– Stop, mesdemoiselles, on n'entre pas ! annonça un PEINTRE en se plaçant devant elles.

– Depuis quand ? s'indigna Nicky. Et vous, qui êtes-vous ?

– Depuis ce matin. Et je suis le chef de chantier ! répondit l'inconnu en expliquant qu'il était chargé de restructurer le local.

Les Téa Sisters se **PRÉCIPITÈRENT** vers le bureau du recteur pour en savoir plus, et le trouvèrent en compagnie de Vanilla et d'un spécialiste de la DÉCORATION !

– Vous pouvez remercier Vanilla, déclara Octave Encyclopédique de Ratis, car, grâce à la GÉNÉROSITÉ de sa famille, vous aurez, dans un mois, un Club des Lézards noirs flambant neuf !

– Quelle COÏNCIDENCE... marmonna Paméla.

Le recteur affichait un si franc enthousiasme que les filles n'eurent pas le cœur de se PLAINDRE.

# NOUVEAU DÉPART !

– Vous pensez la même chose que moi ? demanda Paulina, une fois dans le couloir.

– Oui… à travers cette rénovation, Vanilla cherche à **NEUTRALISER** notre Club des poétesses ! répliqua Colette.

– C'est sûr, mais nous n'avons aucune **preuve**… fit remarquer Nicky.

Juste à ce moment, le professeur Ratcliff s'approcha des Téa Sisters.

– Mesdemoiselles, pouvez-vous me dire ce qui se passe ? J'ai été réveillée par un vacarme ÉPOU-VANTABLE !

– Malheureusement nous aussi avons eu des surprises dès les premières heures du matin…

répondit Paméla, avant de raconter à l'enseignante les travaux qui étaient en cours.

– … et ainsi le Club des poétesses se retrouve sans local ! conclut Violet d'une voix *AFFLIGÉE*. En voyant la mine découragée de ses étudiantes, madame Ratcliff sourit.

– Ma foi… ça m'obligera à m'acheter des **BOU-CHONS** pour les oreilles et vous à vous trouver une nouvelle salle ! Mais…

NOTRE CLUB N'A PLUS DE LOCAL…

J'AI UNE IDÉE !

je pense soudain à un endroit qui pourrait vous convenir !

L'endroit en question était la petite pièce dans laquelle étaient stockés les livres de la **BIBLIO-THÈQUE** avant d'être catalogués. Personne ne semblait y avoir mis les pieds depuis des siècles, songèrent les filles en le découvrant.

– Euh… c'est sûr qu'ici l'atmosphère est *littéraire* à souhait ! commenta Elly en observant les piles de livres en *équilibre* précaire qui occupaient l'espace.

– Sans parler… **atchoum**… de la poussière ! ajouta Colette en éternuant bruyamment.

– **COURAGE, SŒURETTES !** Ce ne sont pas quelques grains de poussière qui arrêteront les poétesses que nous sommes ! s'écria Pam avec entrain.

– Bien dit ! Et maintenant, retroussons nos manches ! décréta Tanja.

Les filles se mirent au travail : Elly et Violet éliminèrent la **SALETÉ** et les toiles d'**ARAIGNÉE** ; Tanja, Colette et Paulina recréèrent l'atmosphère de l'ancien club, tandis que Pam et Nicky recyclaient avec **CRÉATIVITÉ** les livres qui remplissaient la pièce.

– Et voici une table basse ! claironna Nicky en contemplant avec fierté un plateau posé sur quatre piles de vieux livres.

Puis, désignant un petit ouvrage, elle ajouta :

– Il ne reste plus que ce petit volume, que nous n'avons pas pu utiliser !

– Mais… il ne s'agit pas d'un livre ! s'exclama Violet en le feuilletant avec intérêt. C'est un… journal intime ! Il remonte à près de cinquante ans et a été écrit par une étudiante qui signait des seules initiales M. R. !

Attirées par le cahier comme par un AIMANT,
les filles se pressèrent autour de Violet. Les pages
JAUNIES avaient le parfum des secrets enfouis.
Puis, sans que personne le lui ait demandé,
Violet s'éclaircit la voix et se mit à lire…

# CHER JOURNAL...

Cher journal, quelle journée !

Quand je pense qu'hier encore j'étais à Raxford,
occupée à boucler une valise pleine à craquer, et
qu'aujourd'hui je suis à Rome, en Italie ! Quel bonheur !
Une fois arrivées à l'hôtel, Charlotte, Deb, Pilar, Sunny
et moi avons eu une surprise pour le moins désa-
gréable : seule l'une des deux chambres que nous
avions réservées était disponible ! L'autre a été cédée
à une étudiante d'un autre collège, qui a réclamé un
étage entier rien que pour elle et ses amies ! Nos pro-
testations n'ont servi à rien, car l'étudiante en question est, excusez-moi du peu... Priscilla De Principis,
l'héritière de la famille propriétaire de l'établissement !

Mon cher journal, tu aurais dû voir ça : cette fille avait plus de bagages que nous toutes réunies (pourtant notre Charlotte ne voyage jamais sans au moins six valises!).

LA MONTAGNE DE VALISES DE CHARLOTTE!

Enfin, grâce à l'obstination de Deb, nous ne nous sommes pas découragées et nous avons demandé au concierge de l'hôtel de nous fournir deux lits de camp. Résultat : maintenant, nous partageons toutes la même chambre. Nous ne pouvons presque pas bouger, et il y a des bagages partout, mais c'est d'autant plus drôle !

Je dois te laisser, car demain a lieu le cours inaugural de notre campus d'été et je tiens à être en forme !

M. R.

PS : Une nouvelle aventure commence ! 😊

# DE PAGE
# EN PAGE...

Violet referma le cahier.

– Hé ! On n'a même pas su ce qu'était ce campus !
Pourquoi t'es-tu **ARRÊTÉE** ? protesta Pam.

– Parce que dans cinq minutes commence l'entraînement avec le *ON EST EN RETARD !*
professeur Plié ! intervint Tanja en bondissant sur ses pieds.

– *Par mille bielles débiellées !* Tu as raison ! s'exclama Pam en se frappant le front. Ce journal est si PASSIONNANT qu'il nous a fait perdre la notion du temps !

Tandis que les filles se précipitaient au gymnase, leurs **PENSÉES** s'attardèrent dans le

nouveau local du Club des poétesses, au cœur des pages non encore tournées du journal de la **mystérieuse** M. R. !

Avant d'entrer dans la salle de danse, Colette s'immobilisa un instant.

– Les filles, j'aimerais vraiment **SAVOIR** comment s'est déroulé le reste des vacances romaines de notre curieuse chroniqueuse... confia-t-elle d'un ton grave. Si nous nous retrouvions cet après-midi au club ? Je vous propose de consacrer une partie de la séance d'aujourd'hui à la suite de la *LECTURE* du journal.

Ses camarades accueillirent sa proposition avec **ENTHOUSIASME**.

Les jours suivants, les membres du Club des poétesses consacrèrent l'intégralité de leur temps libre au cahier de l'inconnue.

Il était décidément **IMPOSSIBLE** de ne pas se laisser prendre par son histoire !

Les filles découvrirent ainsi que l'énigmatique auteure du journal et ses amies avaient quitté **RAXFORD**, pour suivre, à **ROME**, des cours réservés aux étudiants les plus doués. Au cours de cet été-là, chaque groupe d'élèves devait concevoir un projet de magazine, qui serait ensuite soumis à un jury international, chargé de sélectionner la meilleure proposition.

Rome

Raxford

# RENFORTS INATTENDUS !

Cher journal,

Il ne faut jamais juger un livre à sa couverture et une journée à la façon dont elle débute ! Comme tu le sais, chaque collège représenté à Rome a pour mission d'imaginer un magazine, de la première à la dernière page ! Ce matin, Charlotte, Sunny, Pilar, Deb et moi nous sommes donc installées à la terrasse d'un café pour trouver la bonne idée... mais avec de bien maigres résultats !

Ce ne sont pas les propositions intéressantes qui manquaient (Charlotte a proposé une revue consacrée à la mode dans le monde, Deb un

ELENA ET TERESA, NOS AMIES ROMAINES !

magazine expliquant aux filles comment réparer leur voiture), mais il restait à trouver la petite étincelle qui rende notre projet à nul autre pareil.

Alors que nous étions au bord du découragement est survenu une chose inattendue ! Nous nous sommes mises à bavarder avec Elena et Teresa, deux étudiantes du collège italien de Ratilieri (Pilar leur avait demandé comment se rendre à la bibliothèque, tandis que Sunny voulait savoir quelle était la plus belle villa-parc où se promener).

Nous avons alors découvert qu'elles aussi cherchaient toujours l'inspiration.

Au final, nous avons décidé d'unir nos forces !

Nous ne savons pas encore sur quoi portera notre projet, mais il sera assurément très particulier, car le fruit d'un grand travail d'équipe !

Demain, nous nous réunirons pour la première fois, toutes ensemble !

Je brûle d'y être !

M. R. ☺

# UN INDICE PARFUMÉ AU CITRON...

– C'est incroyable ! s'exclama Colette. Plus nous avançons dans la lecture de ce journal, plus j'ai l'impression de connaître ces cinq FILLES depuis toujours…

Les autres Téa Sisters soupirèrent : chacune retrouvait dans ces anciennes élèves de Raxford les TRAITS et les passions de ses propres amies. De plus, bien que l'auteur du journal et ses camarades aient, chacune, sa personnalité, un lien profond et particulier les unissait, tout comme les Téa Sisters ! Décidément, ce cahier se révélait une source inépuisable de SURPRISES !

D'ailleurs, cet après-midi-là…

– Une minute, Violet ! Peux-tu relire la dernière phrase ? demanda Tanja, intriguée.

Violet acquiesça.

– « … j'ai repensé à la capsule temporelle que nous avons **ENTERRÉE** l'été dernier à Raxford… »

– Une capsule temporelle ?

s'enquit dubitativement Colette.

– Comment, vous ne savez pas ce que c'est ?! s'étonna Nicky. On met des objets auxquels on tient dans une BOÎTE, qu'ensuite on dissimule. La personne qui, long-temps après, l'ouvrira fera ainsi un VOYAGE imaginaire dans le passé ! Le *silence* envahit la

ON CONSERVE AINSI LES SOUVENIRS LES PLUS IMPORTANTS !

pièce. Toutes songeaient à la même chose : quelque part là, à Raxford, se trouvait la capsule temporelle jadis enfouie par la mystérieuse chroniqueuse et ses amies !

– **IL FAUT LA TROUVER !** s'écria Elly, emballée.

– Oui, mais comment ? Le journal ne livre aucune **indication** sur l'endroit où elle est cachée... commenta Violet en feuilletant le cahier. La seule chose quelque peu insolite est cette page **BLANCHE** en plein milieu, mais...

*LAISSEZ-MOI SENTIR...*

Paulina dressa l'oreille.

– Une page blanche ? Fais-moi voir...

La jeune fille examina attentivement la page en question, puis... la **sentit** !

– A-ha ! Je m'en doutais : du

CITRON ! Mesdemoiselles, je pense avoir trouvé l'indice qu'il nous fallait ! s'écria-t-elle triomphalement.

Face au regard PERPLEXE de ses amies, Paulina s'expliqua :

– Regardez, cette page semble blanche, mais en réalité elle est couverte de ce qu'on appelle de l'encre SYMPATHIQUE ! On trempe un pinceau dans ce qui n'est autre que du jus de CITRON, puis on écrit son texte.

La feuille reste vierge, mais il suffit de la placer devant une source de CHALEUR pour que les mots apparaissent !

– Qu'est-ce qu'on attend ?!

Voyons si elle peut nous fournir une indication sur l'endroit où se trouve la capsule temporelle ! s'exclama Pam.

Retenant leur SOUFFLE, les filles approchèrent précautionneusement la page blanche de la FLAMME d'une bougie, et l'**in**-**dice** désiré se matérialisa sous leurs yeux...

*comme par enchantement !*

# INDICE POUR TROUVER LA CAPSULE TEMPORELLE

Rends-toi directement dans la salle qui aux Lézards verts sert de local, et sollicite la donzelle au visage paré de perles.

# CHASSE AU TRÉSOR

– *La salle qui aux Lézards verts sert de local...* mais bien sûr ! dit Violet. Ce doit être la pièce à la porte ornée de LÉZARDS... et qui est devenue le local du club des garçons ! Vite, COURONS voir !

Lorsque les filles DÉBARQUÈRENT dans la pièce où se réunissaient les membres du Club

HEIN ?!?

MAIS ENFIN...

des Lézards verts, Paulina regretta de ne pas avoir son appareil photo : l'**AMUSANTE** expression de surprise des garçons méritait vraiment d'être immortalisée !

– Que faites-vous là ? s'étonna Craig.

– Désolées pour l'**INTRUSION** ! Nous cherchons une boîte de souvenirs et disposons d'un **indice** menant à cette salle, expliqua Paulina en montrant à ses compagnons la phrase écrite à l'encre sympathique, où il était question d'une mystérieuse donzelle parée de perles.

– Ben… la seule fille qui soit admise ici, c'est elle… dit Vik en désignant le portrait d'une jeune RONGEUSE blonde, avec des boucles d'oreille et un collier en perles.

Un second et dernier indice

figurait en effet sur un bout de PAPIER glissé à l'arrière du vieux tableau !

– « Mets-toi à l'aise et creuse en admirant le jardin… lut Nicky. Derrière toi te contemplera le romarin… »

– Il s'agit du *Jardin des herbes aromatiques*, commenta Shen. C'est le seul endroit du collège où pousse cette plante !

Sa déduction semblait juste, mais ce n'est que lorsque le petit groupe fut sur place que toutes les pièces du PUZZLE s'assemblèrent…

– Selon l'indice, le romarin est censé être derrière nous… observa Elly. Il faut donc regarder dans l'autre sens !

– Il est dit aussi qu'il faut se mettre à l'AISE,

ajouta Ron. Or ce banc tourne le dos à la plate-bande et donne sur le reste du jardin !

– Eh bien, cherchons juste en dessous ! conclut Paulina, satisfaite.

Utilisant les **OUTILS** de jardinage que leur avait prêtés Isidore Rondouillard, le rongeur à tout faire du collège, les étudiants **CREU- SÈRENT** jusqu'à ce que leur pioche, cognant quelque chose de dur, produise un franc :

Délicatement, Violet exhuma une boîte en métal aux couleurs légèrement passées et l'ouvrit, dévoilant son **PRÉCIEUX** contenu...

Une vieille édition des *Sonnets* de Shakespeare ! Sa propriétaire devait aimer la poésie !

Une barrette ! Celle qui la portait avait sûrement très bon goût !

Des lacets pour chaussures de course ! Ils devaient appartenir à une sportive !

Un plan de Raxford ! Très utile pour celle qui n'a guère le sens de l'orientation !

Une clef pour dévisser les bougies des moteurs ! Celle qui s'en servait devait être passionnée de mécanique automobile !

# VANILLA S'OBSTINE !

Vanilla était si FURIEUSE que rien ne parvenait à la calmer : non seulement les Téa Sisters avaient trouvé un nouveau local pour le Club des poétesses, mais tout le collège ne parlait plus que de la chasse au TRÉSOR dont elles avaient été les héroïnes ! Et ce qui, ce matin-là, finit de faire bouillir la jeune fille fut une feuille de papier étourdiment PERDUE par Alicia.

– « Le ciel est bleu, lut soupçonneusement Vanilla. Tout comme mes yeux… »

– Hé ! Rends-moi ça ! GEIGNIT Alicia. C'est à moi.

Vanilla lui lança un regard MENAÇANT.

QU'EST-CE QUE...

– C'est un poème !
Tu ne songerais pas par hasard à entrer
dans ce club tout ce qu'il y a de plus inutile ?
Zoé prit la défense d'Alicia :
– Qu'y aurait-il de mal à ça ? On semble s'y
AMUSER !
– C'est vrai ! ajouta Connie. Et comme madame
Ratcliff voit cette initiative d'un bon œil, y
participer pourrait nous valoir de meilleures
notes !

– Vous... vous... commença Vanilla, mais les mots s'étranglèrent dans sa gorge.

La jeune fille **chiffonna** le poème, et, après l'avoir jeté, se dirigea vers sa chambre en fulminant. Il lui fallait rassembler ses idées : elle avait perdu une bataille, mais la guerre contre les Téa Sisters était loin d'être finie !

Tandis qu'elle passait d'un pas rapide sous les arcades du jardin, une voix familière attira son **ATTENTION**.

– Vivi, tu PLAISANTES ? disait Colette.

Le ton grave de la jeune fille incita Vanilla à s'arrêter pour écouter : qui sait, ce qui se disait là pourrait peut-être lui être UTILE...

– Je n'ai pas le droit de rester dans ce club ! répondit Violet, affligée. Je suis la seule à ne jamais avoir lu une composition de mon cru !

– Peut-être, mais tu ne dois pas te laisser abattre !

L'INSPIRATION viendra, tu verras ! la rassura Nicky.

– En fait… ce n'est pas l'inspiration qui me manque, mais le **COURAGE** ! soupira Violet.

– Dans ce cas, nous t'aiderons à surmonter ta **timidité** ! déclara Colette en étreignant son amie.

– Bien sûr ! s'exclama Paméla.

TU Y ARRIVERAS, VIVI !

Puis, s'adressant à Violet, celle-ci ajouta :
– Notre CLUB ne serait plus le même sans toi.
Si tu t'en vas, **NOUS** nous en irons aussi !
Cachée derrière une colonne de la galerie,
Vanilla retrouva le SOURIRE.
– Tiens, tiens… Vous seriez prêtes à RENON-
CER aussi facilement à votre cercle ! Vous n'y
tenez donc pas autant qu'il semble… Je connais
quelqu'un que la nouvelle intéressera.

# SOUCIS ET SOUPÇONS

Cher journal, je suis un peu préoccupée...

La préparation du magazine progresse à toute vitesse (à ma grande joie, nous avons finalement décidé d'y rassembler les poèmes écrits par les étudiants de Raxford et de Ratilieri), pourtant l'harmonie qui régnait au départ dans notre groupe de travail semble avoir disparu...

Ce n'est peut-être qu'une impression, mais aujourd'hui Elena et Teresa paraissaient vouloir nous éviter, mes amies et moi.

Et, comme par hasard, cet étrange comportement a commencé juste après que Priscilla De Principis les a invitées à boire un thé dans sa suite...

Les deux choses sont-elles vraiment liées ?

Heureusement, dans une heure nous retrouverons Elena et Teresa pour la dernière réunion de travail avant la présentation des projets. J'espère m'apercevoir alors que je m'inquiétais pour rien !

À plus tard !

M. R. ☺

# LA ZIZANIE EST SERVIE !

L'objectif de Vanilla était de semer la ZIZANIE entre les membres du Club des poétesses, or la conversation qu'elle venait d'épier offrait le moyen PARFAIT d'y parvenir.

RECETTE DE LA ZIZANIE

**1** Prendre une conversation épiée le jour même...

**2** La nettoyer en éliminant les mots qui ne servent à rien.

**3** Ajouter une grosse pincée de poivre et servir !

Il lui suffit d'aller voir Elly et Tanja et de leur resservir les paroles des Téa Sisters… après les avoir quelque peu **PIMENTÉES**…

– Je les ai entendues de mes propres oreilles ! Je vous le garantis ! déclara Vanilla aux deux filles, **INCRÉDULES**. Violet a déclaré vouloir quitter le club, et les quatre autres ont assuré qu'elles la suivraient !

Elly et Tanja restèrent un moment silencieuses : était-il possible que Vanilla dise la VÉRITÉ ?

– Eh bien, Violet s'est en effet toujours tenue à l'écart et n'a jamais lu **aucun** poème… reconnut Elly avec hésitation.

– Gageons que dans le nouveau club elle en lira des tas ! persifla Vanilla.

– Quel *nouveau* club ? s'enquit Tanja.

– Il me paraît évident que, dès qu'elles seront **DÉBARRASSÉES** de vous, elles en formeront un rien que pour elles !

HÉ, HÉ !

UN NOUVEAU CLUB ?!

Sur ces mots, Vanilla tourna les talons et s'ÉLOIGNA, satisfaite. L'expression qui se peignait sur les visages d'Elly et de Tanja était on ne peut plus CLAIRE : le discours de Vanilla avait réussi à instiller doutes et RAN-CŒUR dans leur esprit. Si bien que... ce soir-là, les Téa Sisters, qui s'étaient rendues au club pour la réunion habituelle, attendirent en vain leurs camarades.

Colette envoya un SMS à Tanja pour lui demander la cause de leur retard, et la réponse qu'elle reçut **pétrifia** les Téa Sisters :

De : Elly

**Nous avons décidé de ne pas venir. Vous auriez au moins pu nous dire vous-mêmes que vous ne vouliez pas de nous dans le club !**

– Enfin, de quoi parle-t-elle ? Je ne comprends pas ! s'exclama Paulina.

– Il doit y avoir un **MALENTENDU** ! ajouta Nicky. Il faut immédiatement le dissiper !

Tandis que les quatre autres Téa Sisters allaient parler à leurs **amies**, Violet s'attarda dans le petit local pour s'assurer qu'elles avaient bien **ÉTEINT** toutes les bougies.

LE JOURNAL!

OUPS,

Tandis qu'elle se hissait sur la pointe des pieds pour atteindre une CHAN-DELLE placée plus haut que les autres dans la bibliothèque, elle heurta involontairement le journal, qui TOMBA par terre et s'ouvrit au hasard. Cédant à la curiosité, la jeune fille se mit à lire…

# L'AMITIÉ EST PLUS FORTE QUE TOUT!

Cher journal,

Mon sixième sens ne me trompait pas : Elena et Teresa voulaient vraiment nous éviter, et tout cela, à cause de cette vipère de Priscilla!

Cette fille est gâtée et habituée à obtenir tout ce qu'elle désire, on l'avait compris! Mais nous venons de découvrir qu'elle est prête à tout pour se mettre en avant!

Enfin, reprenons les choses par le début!

L'autre jour, Elena et Teresa ne sont pas venues à la dernière réunion. Sais-tu pourquoi?

Parce que Priscilla leur avait raconté un tas

d'histoires afin de les monter contre nous et de saboter notre projet ! C'est à peine croyable !

Selon moi, elle a agi ainsi par crainte que notre magazine jette de l'ombre sur son propre projet !

Mais nous, en matière d'amitié, on n'abandonne jamais ! Bien qu'Elena et Teresa refusent de nous parler, Charlotte, Sunny, Deb, Pilar et moi avons glissé une lettre sous la porte de leur chambre. Dans l'enveloppe, il y avait une invitation à nous rejoindre à la fontaine de Trevi et deux pièces de monnaie...

Quelle joie quand nous les avons vues arriver ! Après avoir éclairci le malentendu, nous leur avons annoncé que, nous aussi, nous avions apporté des pièces à jeter

dans le bassin. Un jour en effet, elles

nous avaient raconté qu'en lançant une

pièce dans la fontaine, on pouvait former un vœu. Le

nôtre était que notre amitié née à Rome l'emporte sur

tout malentendu !

Et devine quoi ? Notre vœu s'est réalisé avant même

que les pièces touchent l'eau, car il nous a suffi de

nous expliquer pour que les choses redeviennent

comme avant !

Et voilà... tout est bien qui finit bien !


M. R. ☺

Violet referma le cahier juste au moment où ses amies REVENAIENT.

Elles n'avaient malheureusement pas de bonnes nouvelles.

– Elly et Tanja ne veulent même pas discuter… annonça Nicky. Shen a entendu Vanilla dire aux filles que nous voulions fonder un club rien qu'à NOUS et elles l'ont crue !

Violet SOURIT : les pages qu'elle venait de lire semblaient avoir été écrites tout exprès pour résoudre leur problème !

– Ne vous en faites pas, j'ai une IDÉE ! dit-elle. Nous, en matière d'amitié, on n'abandonne jamais !

Le lendemain matin, Elly et Tanja découvrirent de mystérieuses INVITATIONS sur le pas de leur porte…

# UNE MYSTÉRIEUSE INVITATION...

– *Une chose importante ?* s'exclamèrent Elly et Tanja en échangeant un regard étonné, avant de relire les petits  qu'elles avaient trouvés devant leur porte.

Chère Datcha,
Nous t'attendons au
Club des poétesses
pour te parler d'une
chose importante...

Chère Étoile de mer,
Nous t'attendons au
Club des poétesses
... te parler d'une
...se importante...

– De quoi peut-il bien s'agir ?

Intriguées, elles décidèrent de se rendre à cet étrange RENDEZ-VOUS et, quelques instants plus tard, franchirent le seuil du local.

Tout était comme elles l'avaient laissé : les bougies, les coussins... Rien n'avait été modifié !

Mais avant qu'elles aient pu recommencer à s'interroger sur cette invitation, plusieurs silhouettes sortirent de l'ombre, et une voix CHALEU-REUSE s'empressa de les accueillir :

– Soyez les bienvenues !

Et Colette d'ajouter en battant des mains :

– Comme je suis CONTENTE de vous voir !

– Tanja, Elly, nous ignorons ce que Vanilla vous a raconté exactement... dit à son tour Paulina.

– ... mais une chose est sûre, poursuivit Nicky en prenant ses amies par le bras, il n'y a qu'un seul et UNIQUE Club des poétesses, et il se compose de nous sept ! Il ne pourra avancer que si nous restons **soudées** et portons toutes ensemble notre projet !

– À ce propos, Violet aimerait nous soumettre une *PROPOSITION* ! ajouta Pam.

Et de se tourner vers celle-ci pour l'encourager.

LES FILLES, J'AI UNE IDÉE !

– Allez, sœurette, expose ton PLAN !

Violet fouilla dans son sac et en sortit une BOÎTE métallique verte.

– J'ai déposé à l'intérieur les accessoires que chacune de nous avait choisi de porter lors des réunions du Club des poétesses, expliqua-t-elle. À présent, nous pouvons soit décider de reprendre chacune notre bien et fermer le club, ou continuer de le faire vivre et conserver ensemble les *souvenirs* de cette *EXPÉRIENCE*, exactement comme l'ont fait, il y a bien des années, les cinq FILLES du journal !

Après une telle suggestion, toutes les RÉSERVES d'Elly et de Tanja s'envolèrent.

– Je ne sais pas comment nous avons pu croire Vanilla… confia Elly, navrée.

CE SERA NOTRE PROPRE CAPSULE TEMPORELLE !

– Nous avons vraiment manqué de jugeote ! compléta Tanja. Mais à présent, nous sommes à nouveau convaincues de votre *amitié* et de l'importance de rester unies ! Enfin, n'en parlons plus… Nous avons bien mieux à faire, comme décider où dissimuler notre capsule temporelle !

– Je propose d'utiliser la même cachette que les anciennes étudiantes de Raxford ! s'exclama

Colette. Au fond, ce sont bien elles qui nous ont
INSPIRÉES !

Toutes acquiescèrent avec un grand enthousiasme.

Suivant les instructions de Violet, Elly et Tanja
retirèrent les rubans attachés à leurs invitations
et les NOUÈRENT autour de la boîte.

Puis les Téa Sisters firent de même avec ceux
qu'elles portaient au poignet : chacune avait un
ruban de la *couleur* du cahier dans lequel
elle notait ses poèmes.

De cette manière, leurs *souvenirs* seraient
préservés longtemps, vraiment très longtemps !

Avant d'enterrer la boîte, il leur restait une
dernière chose à faire pour officialiser la réou-
verture du club : *achever la lecture du journal de
la chroniqueuse inconnue !*

Violet prit le cahier de M. R. et toutes s'instal-
lèrent sur les grands cousins dispersés dans la

pièce. Chacune était **CURIEUSE** de connaître la *fin* de l'histoire...

# HISTOIRE
# EN SUSPENS...

Cher journal,

Plus que quelques jours avant la fin du campus d'été !
Charlotte, Deb, Pilar, Sunny et moi tâchons d'en profiter au maximum !

Aujourd'hui, nous sommes allées visiter les immenses musées du Vatican, puis nous avons déjeuné dans le quartier très coloré de Trastevere, où nous avons dégusté un délicieux tiramisu (la propriétaire du

CHEZ
LINA

**Via dei Colli, 199
Rome**

*Le meilleur tiramisu
de tout Rome*

restaurant m'en a donné la recette, que j'ai hâte
d'essayer !).

Mais cela ne nous a pas fait oublier notre projet !

Comme les derniers détails ont été réglés, je dirais que
notre magazine est prêt à être présenté !

À propos, les filles veulent que ce soit moi qui m'en
charge ! Ça me plairait beaucoup, mais j'ai peur de ne
pas pouvoir surmonter ma timidité !

Tu imagines, je devrais parler devant des dizaines et des dizaines d'étudiants !

Je crains que mes jambes se mettent à flageoler et que je ne puisse plus articuler un mot !

Que faire ? Je ne sais quel parti prendre...

Peut-être une petite promenade m'éclaircira-t-elle les idées...

À plus tard,

M. R. ☺

# UNE ÉQUIPE EN ACTION !

– *Pitiépitiépitié!* Lis-en encore quelques pages, Vivi ! supplia Colette.

Comme les filles du Club des poétesses mouraient d'envie de savoir comment l'histoire s'était terminée, toutes poussèrent un retentissant : **OUIii !!!**

Mais quand Violet tourna la page, elle ne trouva que des feuilles **blanches** !

– Le journal s'arrête là ! annonça-t-elle. Il n'y a rien d'autre !

Les sept amies échangèrent des regards déconcertés.

– Cela signifie qu'on ne saura jamais comment s'est conclu l'*ÉTÉ* de nos aînées ?! demanda Elly.

Après un moment de silence, Paulina s'écria :

– J'ai une idée ! Nous pourrions essayer de **RECHERCHER** M. R., Pilar, Charlotte, Deb et Sunny, et leur proposer de toutes se **RETROUVER** à Raxford ! Elles pourraient alors nous raconter elles-mêmes la fin de leur aventure !

– Ce serait merveilleux, mais… comment les **LOCALISER** ? répliqua Colette.

– Avec un peu de **chance** on peut y arriver ! s'exclama Nicky. Il suffit de travailler en équipe !

CHERCHONS ICI…

Et dans ce domaine, nous sommes imbattables ! En moins de temps qu'il ne faut pour le dire, les sept filles décidèrent d'impliquer les garçons dans la recherche de ces **MYSTÉRIEUSES** héroïnes.

Comme la tâche était ardue, ils se **DIVISÈRENT** en trois groupes. Elly, Nicky, Violet et Craig passeraient au peigne fin les vieux **registres** du collège, tandis que Paulina, Tanja et Shen exploreraient les **RÉSEAUX** sociaux en quête

TOUJOURS RIEN...

de quelque indice permettant de découvrir l'identité des cinq inconnues.

– Quant à nous, allons rendre une petite visite à l'*Antique Concoillotterie*, sur le **PORT**! suggéra Pam à Colette et Ron.

Le récit de M. R. mentionnait en effet que Sunny avait remporté une importante RÉGATE, et ils espéraient qu'une personne fréquentant le restaurant se la rappelle.

– **Bienvenue!** claironna Casimir Rondouillard, le propriétaire de l'établissement, en voyant entrer les étudiants. Le mistral aurait-il porté jusqu'au collège la bonne odeur de notre FONDUE spéciale?

*BIENVENUE!*

FONDUE POUR TOUT LE MONDE!

– C'est presque ça! répondit Colette en souriant. Nous la goûterons avec plaisir, mais nous sommes venus pour autre chose…

– Nous sommes en quête de *renseigne-ments* sur la G̲A̲G̲N̲A̲N̲T̲E̲ d'une course à la voile qui a eu lieu il y a cinquante ans ! expliqua Ron.

– Je sais qui peut vous aider ! répliqua Casimir en désignant un vieux pêcheur plongé dans son journal. Oswald a une mémoire d'**ÉLÉ-PHANT** !

VOICI DONC OSWALD !

Et il avait raison : le vieux rongeur se révéla une source inépuisable de précieuses informations !

– Bien sûr que je me souviens de Sunny ! Une fille très ENJOUÉE et une navigatrice accomplie ! Venez voir le tableau d'affichage sur ce mur : il est couvert de PHOTOS de vieilles régates. Peut-être que l'une d'entre elles pourra vous être utile...

Les jeunes gens suivirent Oswald et leurs ESPOIRS ne furent pas déçus !

– C'est elle ! déclara le vieux rongeur en leur tendant un cliché d'une jeune fille brandissant *fièrement* une coupe. Son NOM est inscrit derrière la photo !

Incapables de refréner leur enthousiasme, les

étudiants remercièrent Oswald en le serrant CHALEUREUSEMENT dans leurs bras ! Puis ils entreprirent de regagner le collège pour informer les deux autres groupes de leur découverte.

Au même moment, leurs camarades entrèrent dans le *RESTAURANT.*

– Nous avons trouvé le nom de famille de Sunny ! leur annonça Ron.

— Et nous, ceux de Charlotte et de Deb ! claironna Nicky.

— Et voici l'adresse de Pilar ! ajouta Tanja en exhibant une feuille qu'elle venait d'IMPRIMER.

Les membres des deux clubs de poésie échangèrent toutefois des regards DÉÇUS : personne n'avait réussi à identifier M. R… Dès lors, comment la contacter ?

— Pas de panique ! Nous prierons tout simplement Charlotte, Sunny, Deb et Pilar de PRÉVENIR leur mystérieuse amie ! intervint Colette.

— Bien sûr ! renchérit Violet. Qu'est-ce qu'on attend ? DÉPÊCHONS-nous de lancer nos invitations !

# Cinq amies et un journal...

Les invitations furent expédiées en toute *HÂTE*, et, à en juger par leurs réponses, Charlotte, Pilar, Sunny et Deb étaient restées les filles GAIES et DYNAMIQUES que décrivait le journal !

Les membres du Club des poétesses se lancèrent aussitôt dans les préparatifs d'organisation de leurs *RETROUVAILLES*. Ainsi, le jour venu, tout était fin prêt pour accueillir les hôtes d'honneur !

Colette, Nicky, Paulina, Violet, Elly et Tanja se rassemblèrent devant l'entrée principale de Raxford et **ATTENDIRENT... ATTENDIRENT... ATTENDIRENT...**

Chères demoiselles,
J'ai terriblement hâte
de revenir à Raxford
(j'ai même une tenue
parfaite pour l'occasion !).
À très bientôt,
Charlotte

Des retrouvailles ?
C'est une idée
formidable ! Je viens
au plus vite !

Sunny

Je ne raterai ça pour
rien au monde : je pars
sur les chapeaux de
roue !   Deb

Bien sûr que j'accepte !
Je brûle de revoir
le groupe !

Pilar

– L'hydroglisseur devait accoster il y a une heure !
observa Paulina, au bout d'un long moment.
Comment se fait-il que Pam ne soit pas encore
**REVENUE** avec nos visiteuses ?
À cet instant, un coup de klaxon attira l'**ATTEN-
TION** des filles, tandis qu'au loin apparaissait le
█████ █████████ de Paméla. Ce

BON RETOUR À RAXFORD !

n'était pas elle au volant, mais une dame avec de jolis cheveux courts **CHÂTAIN** clair, qui, après s'être garée, s'exclama :

_ Nous voici enfin de retour dans notre cher collège !

VOUS DEVEZ ÊTRE LES TÉA SISTERS !

— Désolée pour le retard… s'excusa Pam en aidant trois des invitées à s'extirper de l'arrière de sa voiture, mais Deb a absolument tenu à essayer mon QUATRE-QUATRE…

— Et bien sûr elle a insisté pour le conduire sur la route la plus **IMPRATICABLE** de toute l'île ! ironisa une rongeuse blonde et *élégante* parmi les nouvelles venues.

À ces mots, Charlotte, Pilar, Deb et Sunny éclatèrent de RIRE : malgré les années, les quatre anciennes étudiantes étaient aussi unies et complices qu'autrefois !

— Bon retour à Raxford ! s'exclama Violet. Nous sommes *heureuses* que vous ayez accepté notre proposition !

— Malheureusement, nous n'avons pas réussi à toutes vous contacter… Comme vous l'aurez remarqué, M. R. n'est pas là… ajouta Colette, NAVRée.

– Comment ça, elle n'est pas là? répéta Pilar, interloquée. Pas plus tard qu'hier, elle m'a écrit qu'on se verrait à Raxford !

– Et de fait, me voici! prononça une voix bien connue des Téa Sisters.

– Margot ! s'écrièrent en chœur Charlotte, Deb, Pilar et Sunny en courant embrasser leur amie.

Les membres du Club des poétesses se regardèrent, DÉSEMPARÉES : M. R., la mystérieuse pensionnaire du collège dont le journal les avait tant passionnées, n'était autre que... le professeur Ratcliff !

C'EST MOI!

# RÉUNION FINALE !

Revenues de leur SURPRISE, les filles du Club des poétesses décidèrent que le meilleur moyen de CÉLÉBRER cet heureux jour était de convier Charlotte, Pilar, Sunny, Deb et Margot à une réunion **extraordinaire** de leur cercle ! Lorsque nouvelles et anciennes élèves se furent INSTALLÉES, Colette, au comble de l'émotion, remit un paquet au professeur Ratcliff. Étonnée, cette dernière en retira l'emballage et ce qu'elle découvrit la laissa sans voix.

– Mais c'est… la capsule temporelle !

– La *nôtre* ? s'enquit Sunny en tressaillant.

Pointant la vieille BOÎTE en fer, Elly répondit avec un sourire :

– Eh oui ! Nous l'avons trouvée en suivant les indications qui se trouvaient dans le journal ! C'est l'occasion idéale, nous semble-t-il, pour vous la rendre !

Les anciennes pensionnaires du collège se réunirent autour de ce qui contenait leurs souvenirs.

Nos chers souvenirs !

– La CLEF avec laquelle je réparais ma voiture ! s'exclama Deb.

– Ce sont mes LACETS porte-bonheur pour les épreuves d'athlétisme ! ajouta Sunny.

– La BARRETTE que je portais le jour de mon arrivée à Raxford ! dit Charlotte.

– Le PLAN du collège pour éviter de me perdre dans les couloirs ! s'amusa Pilar.

– Et... le livre qui m'a

fait succomber à la poésie… soupira Margot Ratcliff.

Nicky posa alors la question qui TOURNAIT dans la tête des sept jeunes filles :

– Excusez-moi, madame… Puis-je vous demander la décision que vous avez finalement prise, cet été-là, à Rome ? Est-ce vous qui avez présenté le PROJET de votre groupe ?

– Oui, grâce au soutien de mes chères camarades, j'ai réussi à surmonter ma TIMIDITÉ
et notre magazine a été jugé le meilleur !
– Mais pourquoi le journal s'interrompt-il de but
en blanc ? s'enquit Violet.
L'enseignante la FIXA un moment, puis répliqua :
– J'ai compris que ma timidité me poussait à me
réfugier dans le récit de mon AVENTURE...
au lieu de la vivre !
Cette CONFIDENCE toucha énormément
Violet : durant les séances du club, elle aussi
s'était tenue en retrait par CRAINTE de ne pas
être à la hauteur. Mais elle songea alors que si la
jeune Margot avait réussi à surmonter sa pudeur,
elle aussi pouvait y parvenir !
Prenant une profonde inspiration, la jeune fille
se tourna vers ses amies, et, dans l'affection

et la confiance que leurs regards lui renvoyèrent,
puisa le **COURAGE** de dire :

– J'aimerais... vous lire un de mes poèmes !
À ces mots, les Téa Sisters APPLAUDIRENT
à tout rompre. Depuis le début, toutes les quatre
savaient que Violet réussirait à VAINCRE son
embarras, pour enfin se sentir, comme elles...
une authentique poétesse !

BRAVO, VIVI!

# TABLE DES MATIÈRES

## Téa Stilton

# DANS LA MÊME COLLECTION

**Et aussi...**

**Hors-série**
Le Prince de l'Atlantide

 **13**

 **14**

 **15**

ÎLE
DES BALEINES

# L'île des Baleines

1. Pic du Faucon

2. Observatoire astronomique

3. Mont Ébouleux

4. Installations photovoltaïques pour l'énergie solaire

5. Plaine du Bouc

6. Pointe Ventue

7. Plage des Tortues

8. Plage Plageuse

9. Collège de Raxford

10. Rivière Bernicle

11. *L'Antique Cancoillotterie,* restaurant et siège des *Messageries Ratiques – Transports maritimes*

12. Port

13. Maison des Calamars

14. *Zanzibazar*

15. Baie des Papillons

16. Pointe de la Moule

17. Rocher du Phare

18. Rochers du Cormoran

19. Forêt des Rossignols

20. Villa Marée, laboratoire de biologie marine

21. Forêt des Faucons

22. Grotte du Vent

23. Grotte du Phoque

24. Récif des Mouettes

25. Plage des Ânons